Mélanie Jannelle

Le commencement des Tatous

Rudyard Kipling est né
aux Indes en 1865.
Il passe son enfance
en Angleterre et regagne
les Indes à l'âge de 17 ans.
Journaliste et écrivain,
il s'inspire de tous
les grands voyages qu'il a fait.
Citons, parmi ses œuvres
les plus célèbres,
Le Livre de la Jungle
et Les Histoires comme ça
dont est tiré ce conte.

Collection dirigée par
Laurence Kiéfé

© Editions Mango 1992
Titre original :
The beginning of the Armadilloes

Le commencement des Tatous

Rudyard Kipling

Traduit de l'anglais par
Laurence Kiéfé

Illustrations de
Anne-Isabelle Le Touzé

Voilà, ô Mieux-Aimée, une autre histoire des Temps Lointains et Reculés. Au beau milieu de cette époque, il y avait un Hérisson Pique et Pointe ; il vivait sur les berges de la trouble Amazone, se nourrissant d'escargots et autres choses à coquille. Et il avait une amie, une Tortue Lourde et Lente, qui vivait sur les berges de la trouble Amazone et qui se nourrissait de laitue et autres choses vertes. Et donc tout allait bien, n'est-ce pas, Mieux-Aimée ?

Mais à la même époque, dans ces Temps Lointains et Reculés, il y avait un Jaguar Tacheté, qui vivait aussi sur les berges de la trouble Amazone ; et lui, il se nourrissait de tout ce qu'il pouvait attraper. S'il manquait de cerfs ou de singes, il se contentait de grenouilles et de scarabées ; et s'il n'y avait ni grenouilles ni scarabées, il allait voir Maman Jaguar pour qu'elle lui apprenne à manger les hérissons et les tortues.

Elle lui avait plus d'une fois répété, en

ondulant gracieusement de la queue :

— Mon fils, si tu trouves un Hérisson, jette-le dans l'eau pour le dérouler, et si tu attrapes une Tortue, sers-toi de ta patte comme d'une cuillère pour la sortir de sa carapace.

Et donc, tout allait bien, Mieux-Aimée.

Par une belle nuit, sur les berges de la trouble Amazone, Jaguar Tacheté rencontra Hérisson Pique et Pointe et Tortue Lourde et Lente, installés contre un tronc d'arbre tombé à terre. Comme il leur était impossible de s'enfuir, Pique et Pointe se mit en boule, puisqu'il était un Hérisson, tandis que Tortue Lourde et Lente rentrait ses pattes et sa tête le plus loin possible au fond de sa carapace, parce qu'elle était une Tortue ; et donc, tout allait bien, n'est-ce pas, Mieux-Aimée ?

6

— Maintenant, écoutez-moi bien, déclara Jaguar Tacheté, c'est très important. Ma mère m'a dit que si je rencontrais un Hérisson, il fallait que je le jette dans l'eau pour qu'il s'aplatisse ; et si je rencontrais une Tortue, il fallait que je me serve de ma patte comme d'une cuillère pour la sortir de sa carapace. Mais, dites-moi, qui est le Hérisson et qui est la Tortue ? Parce que, par toutes mes taches, je n'en ai pas la moindre idée.

— Tu es sûr d'avoir bien écouté les conseils de ta mère ? demanda Hérisson Pique et Pointe. Vraiment sûr ? Peut-être a-t-elle dit que pour dérouler une Tortue, il faut la faire sortir de l'eau avec une cuillère, et quand tu mets la patte sur un Hérisson, tu dois le faire tomber du côté de la carapace.

— Es-tu sûr de ce que ta mère t'a raconté ? demanda Tortue Lourde et Lente. Vraiment sûr ? Peut-être a-t-elle dit que pour arroser un Hérisson, il faut que tu le fasses tomber entre tes pattes et quand tu rencontres une Tortue, tu dois la décarcasser jusqu'à ce qu'elle s'aplatisse.

9

— Je ne pense pas du tout que c'était comme ça, répondit Jaguar Tacheté, mais il se sentait quand même un peu inquiet ; s'il vous plaît, pourriez-vous répéter tout cela plus clairement ?

— Pour recueillir de l'eau avec ta patte, il faut l'aplatir avec un Hérisson, dit Pique et Pointe. Souviens-toi de cela, c'est très important.

— Mais, dit la Tortue, pour poser la patte sur ta proie, il faut la faire tomber dans une Tortue avec une cuillère. C'est pourtant pas compliqué à comprendre.

— Vous me faites mal aux taches, dit Jaguar Tacheté ; en plus, je n'ai pas du tout besoin de vos conseils. Tout ce que je veux savoir, c'est lequel d'entre vous est un Hérisson et lequel une Tortue.

— Je ne te le dirai pas, dit Pique et Pointe. Mais si tu veux, tu peux me sortir de ma coquille avec ta patte.

— Aha ! dit Jaguar Tacheté. Maintenant, je sais que tu es une Tortue. Tu as cru que je ne comprendrais pas ! Mais tu t'es trompé.

Jaguar Tacheté lança sa patte spatule juste au moment où Pique et Pointe s'enroulait sur lui-même, et bien sûr, la patte spatule de Jaguar fut aussitôt hérissée de piquants. Encore pire que cela, il poussa Pique et Pointe au fond des bois et des buissons, et finalement, il fit trop sombre pour qu'on puisse encore le voir. Puis il se mit à sucer sa patte spatule, et bien sûr, les piquants le firent encore plus souffrir qu'auparavant. Dès qu'il réussit à parler, il dit :

— Maintenant, je sais que ce n'est pas
du tout une Tortue. Mais – et là il se grat-
ta la tête de sa patte intacte – comment
est-ce que je peux être certain que
l'autre animal est bien une Tortue ?

— Mais je suis une Tortue, dit Lourde
et Lente. Ta mère avait tout à fait raison.
Elle t'a dit de me sortir de ma carapace
avec ta patte, comme si c'était une
cuillère. Vas-y !

— Ce n'est pas du tout ce que tu m'as
raconté il y a une minute, dit Jaguar
Tacheté en suçant sa patte spatule pour
en ôter les piquants. Tu m'as dit quelque
chose de tout à fait différent.

— Bon, eh bien, supposons que tu dises que j'ai dit qu'elle avait dit quelque chose de tout à fait différent, je ne vois pas où est le problème ; parce que si elle a dit ce que tu dis que j'ai dit qu'elle a dit, c'est exactement comme si j'avais dit ce qu'elle a dit qu'elle avait dit. D'autre part, si tu penses qu'elle a dit qu'il fallait m'aplatir avec une cuillère, au lieu de me réduire en miettes dans ma carapace, c'est pas ma faute, n'est-ce pas ?

— Mais tu as dit que tu voulais que je t'enlève de ta carapace en me servant de ma patte comme d'une cuillère, répondit Jaguar Tacheté.

— Si tu te donnes le mal d'y réfléchir, tu te souviendras que je n'ai rien dit de tel. J'ai dit que ta mère avait dit qu'il fallait que tu me fasses sortir de ma carapace comme avec une cuillère, dit Lourde et Lente.

— Qu'est-ce qui va se passer si je le fais ? demanda Jaguar en reniflant d'un air méfiant.

— Je n'en sais rien, parce que jusqu'à présent, personne ne m'a jamais ôté de ma carapace ; mais je vais te parler sincèrement, si tu veux que je nage, tu n'as qu'à me jeter à l'eau.

— Je n'y crois pas, dit Jaguar Tacheté. Vous avez embrouillé toutes les choses que ma mère m'avait dit de faire avec celles dont vous m'avez demandé si j'étais sûr que ma mère ne me les avait pas dites, jusqu'à ce que je ne sache plus si je marchais sur ma tête ou sur ma queue tachetée ; et maintenant, vous venez me raconter quelque chose que je peux comprendre, et du coup, je me sens encore plus embrouillé qu'avant. Ma mère m'a dit de jeter l'un de vous à l'eau, et puisque tu as l'air d'avoir tellement envie qu'on te jette à l'eau, je comprends que tu ne veux pas qu'on t'y jette. Donc, saute dans la trouble Amazone et finissons-en.

— Je te préviens que ta mère ne va pas être contente. Ne lui dis pas que je ne t'ai pas prévenu, dit Lourde et Lente.

— Si tu prononces encore un seul mot à propos de ce que ma mère a dit... commença le Jaguar, mais il n'eut pas le temps de finir sa phrase que Lourde et Lente avait déjà plongé tranquillement dans la trouble Amazone, avait nagé sous l'eau pendant un bon moment et était ressortie sur l'autre rive, où Pique et Pointe l'attendait.

— On l'a échappé belle, dit Pique et Pointe. Je n'aime pas Jaguar Tacheté. Qui lui as-tu dit que tu étais ?

— Je lui ai honnêtement dit que j'étais une honnête Tortue, mais il ne m'a pas crue, et il m'a fait sauter dans le fleuve pour vérifier que j'en étais une, et j'en suis une, et ça l'a surpris. Maintenant, il est parti tout raconter à sa Maman. Écoute !

Ils entendirent Jaguar Tacheté rugir au beau milieu des arbres et des buissons le long de la trouble Amazone, jusqu'à ce que sa Maman arrive.

— Mon fils, mon fils ! répéta plusieurs
fois sa mère, tout en ondulant gracieusement de la queue, qu'as-tu donc fait
que tu n'aurais pas dû ?

— J'ai voulu attraper quelque chose
qui disait qu'il voulait que je le sorte de
sa carapace avec ma patte, et ma patte
est pleine de piq... de piquants, dit
Jaguar Tacheté.

— Mon fils, mon fils, répéta plusieurs fois sa mère en ondulant gracieusement de la queue, à voir les piquants plantés dans ta patte spatule, c'est un Hérisson que tu as rencontré. Tu aurais dû le jeter à l'eau.

— C'est ce que j'ai fait à l'autre chose ; il a dit qu'il était une Tortue, et je ne l'ai pas cru, et c'était vrai et il a plongé dans la trouble Amazone, et il n'est plus réapparu, et je n'ai rien eu du tout à manger, et je pense qu'on ferait mieux d'aller s'installer ailleurs. Pauvre de moi, ils sont trop malins au bord de la trouble Amazone !

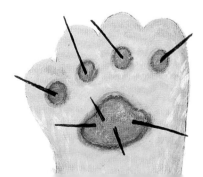

— Mon fils, mon fils, répéta la mère plusieurs fois en ondulant gracieusement de la queue, maintenant écoute-moi et souviens-toi de ce que je te dis. Un Hérisson se met en boule et ses piquants sortent de tous les côtés à la fois. C'est comme ça qu'on peut reconnaître un Hérisson.

— Cette vieille dame me déplaît énormément, dit Pique et Pointe, à l'ombre

d'une grosse feuille. Je me demande bien ce qu'elle sait d'autre ?

— Une Tortue ne peut pas se mettre en boule, répéta plusieurs fois Maman Jaguar, en ondulant gracieusement de la queue. Tout ce qu'elle peut faire, c'est cacher ses pattes et sa tête à l'intérieur de sa carapace. C'est comme ça que tu peux reconnaître une Tortue.

— Je n'aime pas du tout, du tout cette vieille dame, dit Tortue Lourde et Lente. Même Jaguar Tacheté n'oubliera pas ces instructions. C'est vraiment dommage que tu ne saches pas nager, Pique et Pointe.

— Ne m'en parle pas, répondit Pique et Pointe. Mais pense comme ça serait mieux si tu pouvais te mettre en boule. Quel gâchis ! Écoute Jaguar Tacheté.

Jaguar Tacheté était installé au bord de la trouble Amazone, tout occupé à se sucer les pattes pour les débarrasser des piquants, et il répétait :

Pas se mettre en boule, mais nager Lourde et Lente, c'est elle !
Pas nager, mais se mettre en boule, Pique et Pointe, c'est lui !

— Il n'oubliera plus jamais ça, déclara Pique et Pointe. Tiens-moi sous le menton, Lourde et Lente. Je vais essayer d'apprendre à nager. Ça peut être utile.

— Excellent ! dit Lourde et Lente ; et
elle maintint le menton de Pique et
Pointe, pendant que Pique et Pointe se
débattait dans les eaux de la trouble
Amazone.

— Tu feras un bon nageur, dit Lourde
et Lente. Maintenant, si tu veux bien desserrer un peu mes plaques d'écaille à
l'arrière, je vais voir ce que je peux faire
en matière de se rouler en boule. Ça peut
être utile.

Pique et Pointe aida la Tortue à desserrer les plaques d'écaille à l'arrière, si
bien qu'en se contorsionnant et en se
déformant, Lourde et Lente réussit effec-
tivement à se mettre un tout petit peu en
boule.

— Excellent ! dit Pique et Pointe ;
mais si j'étais toi, je n'en ferais pas plus
pour l'instant. Tu as l'air toute conges-
tionnée. Retournons tranquillement
dans l'eau et je vais m'entraîner à faire
cette brasse coulée dont tu dis qu'elle est
si facile.

Et Pique et Pointe s'exerça, tandis que
Lourde et Lente nageait à côté de lui.

— Excellent ! dit Lourde et Lente. Encore un peu d'entraînement et tu seras une vraie petite baleine. Maintenant, si tu veux bien te donner la peine de desserrer de deux crans mes plaques d'écaille à l'arrière et à l'avant, je vais essayer cette flexion extraordinaire, dont tu dis que c'est si facile. C'est Jaguar Tacheté qui va être étonné !

— Excellent ! dit Pique et Pointe, tout mouillé de son bain dans la trouble

Amazone. Je t'assure, on te prendrait pour un membre de la famille. Tu m'as bien dit deux crans ? L'air un peu plus convaincu, s'il te plaît, et ne grogne pas si fort, ou Jaguar Tacheté va nous entendre. Quand tu auras fini, je veux essayer de plonger comme tu dis que c'est très facile. C'est Jaguar Tacheté qui va être étonné !

Et ainsi Pique et Pointe plongea et Lourde et Lente plongea derrière lui.

— Excellent ! dit Lourde et Lente. Si tu fais un peu plus attention à retenir ton souffle, tu es prêt à emménager tout au fond de la trouble Amazone. Maintenant, j'essaie de m'entraîner à enrouler mes pattes arrière autour de mes oreilles, puisque, d'après toi, c'est une position tellement confortable. C'est Jaguar Tacheté qui va être étonné !

— Excellent ! dit Pique et Pointe. Mais ça déforme un peu tes plaques arrière. Elles se chevauchent toutes maintenant, au lieu d'être bien alignées.

— C'est les conséquences de l'entraînement, dit Lourde et Lente. J'ai remarqué que tes piquants sont collés et tout emmêlés; plus ça va, plus tu ressembles à une pomme de pin et moins à une châtaigne, comme c'était le cas avant.

— Ah bon ? dit Pique et Pointe. C'est à force de me baigner. C'est Jaguar Tacheté qui va être étonné !

Ils continuèrent à s'entraîner, en s'aidant mutuellement, jusqu'au matin ; et quand le soleil fut haut, ils se reposèrent et se séchèrent. Puis ils constatèrent qu'ils étaient devenus tous les deux très différents de ce qu'ils étaient auparavant.

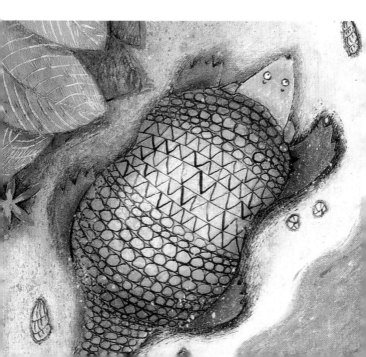

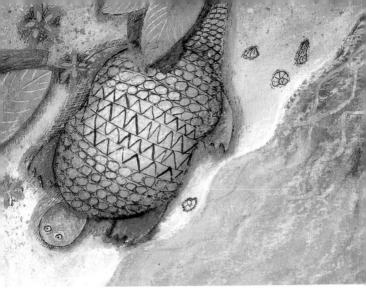

— Pique et Pointe, dit la Tortue après le petit déjeuner, je ne suis plus ce que j'étais hier ; mais je pense que je peux toujours distraire Jaguar Tacheté.

— C'est exactement ce que j'étais en train de penser, dit Pique et Pointe. A mon avis, les écailles présentent bien plus d'avantages que les piquants — sans parler de l'intérêt de savoir nager. Oh, c'est Jaguar Tacheté qui va être bien étonné ! Viens, on va le chercher.

Ils finirent par tomber sur Jaguar Tacheté, qui était toujours occupé à soigner sa patte spatule abîmée la veille au soir. Il fut si surpris de leur apparition qu'il tomba trois fois de suite sur sa propre queue tachetée sans pouvoir s'arrêter.

— Bonjour ! dit Pique et Pointe. Et comment va ta délicieuse Maman ce matin ?

— Elle va très bien, je vous remercie, dit Jaguar Tacheté ; mais il faut me pardonner, à brûle-pourpoint, je ne saurais dire comment vous vous appelez.

— Ce n'est pas très gentil de ta part, dit Pique et Pointe, étant donné que, hier à la même heure, tu as essayé de m'enlever de ma carapace avec ta patte.

— Mais tu n'avais pas de carapace. Tu n'avais que des piquants, dit Jaguar Tacheté. Je le sais bien. Tu n'as qu'à regarder ma patte !

— Tu m'as dit de me jeter dans la trouble Amazone et de m'y noyer, dit Lourde et Lente. Pourquoi es-tu si grossier et si oublieux aujourd'hui ?

— Tu ne te souviens donc pas de ce que ta mère t'a dit ? demanda Pique et Pointe.

Pas se mettre en boule, mais nager,
Lourde et Lente, c'est elle !
Pas nager, mais se mettre en boule,
Pique et Pointe, c'est lui !

Puis ils se mirent en boule tous les deux et roulèrent et roulèrent autour de Jaguar Tacheté jusqu'à ce que les yeux lui sortent de la tête.

Après quoi, Jaguar partit à la recherche de sa mère.

— Mère, dit-il, aujourd'hui, il y a deux nouveaux animaux dans les bois, et celui dont tu as dit qu'il ne pouvait pas nager, nage, et celui dont tu as dit qu'il ne pouvait pas se mettre en boule, se met en boule ; et ils ont dû se partager les piquants, je pense, parce qu'ils sont couverts d'écailles tous les deux, au lieu que l'un soit lisse et l'autre hérissé ; et en plus de ça, ils roulent sans arrêt autour de moi en cercle et je ne me sens pas très bien.

— Mon fils, mon fils ! répéta plusieurs fois Maman Jaguar, en ondulant gracieusement de la queue, un Hérisson est un Hérisson, et ne peut être rien d'autre qu'un Hérisson ; et une Tortue est une Tortue, et ne peut être rien d'autre.

— Mais ce n'est pas un Hérisson, et ce n'est pas une Tortue. C'est un peu des deux, et je ne sais pas comment ça s'appelle.

— Sottises ! dit Maman Jaguar. Tout a un nom. Si j'étais toi, je les appellerais "Tatous" jusqu'à ce que je découvre leur vrai nom. Et en attendant, je ne m'en occuperais plus.

Jaguar Tacheté fit ce qu'on lui disait de faire, prenant surtout garde à les laisser tranquilles ; mais ce qu'il y a de curieux, c'est que depuis ce jour-là, O Mieux-Aimée, personne sur les rives de la trouble Amazone n'a plus jamais appelé Pique et Pointe et Lourde et Lente autrement que Tatou.

Ailleurs, naturellement, il y a des Hérissons et des Tortues (il y en a dans mon jardin) ; mais ceux de la vieille espèce, vraiment rusée, ceux qui vivaient sur les berges de la trouble Amazone dans les Temps Lointains et Reculés, et dont les écailles se chevauchent comme une pomme de pin, on les a toujours appelés des Tatous, parce qu'ils se sont montrés si malins.

Donc, tout va bien, Mieux-Aimée.
N'est-ce pas ?

Chez le même éditeur

Dès 4 ans
> Marie Léonard/Andrée Prigent
- *Tibili ou le petit garçon qui ne voulait pas aller à l'école*
- *Tibili et Koumi la chauve-souris* (T.L.P)
- *Du ski pour Tibili*
> Dieter Schmitz
- *La feuille*
> Michael Bond/John Lobban
- *Terminus, Paddington!*
- *Au bain, Paddington!*
- *Un pyjama pour Paddington*
> Frédérique Ganzl/Camille Ladousse
- *Mercredi, jour de pluie*
> Jean-Loup Craipeau/Pronto and Co.
- *Toto le balai*

Dès 7 ans
> Thierry Jonquet/Nathalie Dieterlé
- *Belle-Zazou*
> Didier Dufresne/J.-P. Duffour
- *Max le zappeur*
> Rudyard Kipling/A.I. Le Touzé
- *Le commencement des Tatous*
> Pascal Garnier/Cathy Muller
- *A rebrousse temps*

Dépot légal: Janvier 1993
Loi n8 49-956 du 16 Juillet 1949
sur les publications destinées à la jeunesse.
ISBN 2 7404 0197 3

Imp. en France en décembre 1992 - PUBLIPHOTOFFSET-PANTIN